D0106587

RETROUVEZ

titeuf

CHEZ

POP!

c'est pô une vie...

même pô mal...

c'est pô croyab'

c'est pô malin...

pourquoi moi ?

les filles, c'est nul...

tchô, la planète !

le préau atomique

Ah ouais, d'accord...

au secours !

tcheu, la honte !

tous des pourris du slip !

la méga classe !

un truc de dingue !

Titeuf, le film !

ZEP

titeuf

un truc de dingue!

ADAPTATION : HELENE BRULLER

POP! est une collection dirigée par Hélène Bruller et Fabrice Le Jean

© Éditions Glénat / Hachette Livre, 2011.

Tous droits de traduction, de reproduction
et d'adaptation réservés pour tous pays.

Hachette Livre, 43, quai de Grenelle, 75015 Paris.

1

Manu et moi, on s'était installés dans le parc pour être tranquilles.

On avait pô du tout envie que les gens nous voient et surtout pas qu'ils nous entendent. Surtout les copains de l'école et surtout surtout Hugo. Parce que si Hugo entendait que je disais à Manu qu'il sentait bon et qu'on aurait dit le printemps, ma réputation serait déjà foutue pour toujours... alors si Hugo avait vu ce que j'allais faire, c'était carrément pour toujours éternel à jamais...

Les histoires que je racontais
à Manu sur les petites fleurs,
la nature, la poésie du ciel et
les animaux qui s'aiment, déjà,
ça le mettait pas très super à
l'aise. Mais quand j'ai voulu
l'embrasser, ça l'a un peu fait
sursauter du banc comme si je
lui avait mis les doigts dans
une prise...

Et voilà, à cause de Manu qui sait pas jouer la comédie, j'allais être un nul quand j'irais voir Nadia. Une séduction, ça se recopie en s'appliquant et ça se colorie sans déborder. Manu était d'accord que je devais m'entraîner...
Mais il était pô d'accord sur qui ferait le cobaye...

Manu, il a dit que mon film je pouvais en faire une cocotte en papier, que j'allais me débrouiller tout seul parce que lui, il en avait ras les sandales. Et il m'a planté là... avec les autres arbres.

2

Vendredi dernier, la maî-
tresse nous avait annoncé la
fête de l'école, avec de la dan-
se et des slows et des filles et
Nadia. En fait, elle nous avait
annoncé que la fête, mais
l'essentiel allait avec. Cette
grosse peluche d'Hugo a tout

de suite frimé que les slows avec Nadia, ce serait pour lui. Déjà, fallait qu'elle soit assez grande pour pouvoir mettre ses bras autour, mais surtout, Nadia était à moi. Alors j'ai parié à Hugo ma PlayStation que je sortirais avec Nadia. Il a rigolé que je savais pas ce que ça voulait dire « sortir avec une fille... » et c'était pô faux...

Tout ce que je savais, c'est que le frère d'Hugo était sorti avec une blonde cet été et que quand on sort avec une fille, c'est un peu comme si elle est à toi mais on est pas mariés.

C'était sûr qu'Hugo savait ce que ça voulait dire « sortir » et si je voulais pas avoir l'air d'un manche, fallait que je me renseigne.

Pour François, tout avait toujours l'air super simple : pour faire marcher l'ordinateur, tu mets ce câble là, t'allumes et tu joues. Il voyait la vie et les filles pareil. Tu prends la laisse, et tu sors le chien. Il m'a proposé de sortir Clovis pour m'entraîner.

Le sachet plastique, c'est pour ramasser derrière quand Clovis fait ses besoins. J'ai trouvé ça hyper technique, mais quand je suis retourné à l'école, je suis allé voir Nadia pour lui dire que, si elle voulait qu'on sorte ensemble, je préférais qu'elle fasse ses besoins avant...

3

J'étais trop content que Manu vienne se réconcilier avec moi. J'aime pô du tout quand il est fâché et qu'on se parle plus. Mais il a décidé de prendre les choses en main et il a dit que j'irais voir Nadia pour l'inviter au ciné parce que, dans le noir,

on peut rouler des pelles. Moi je
trouve ça dégueulasse, mais
Manu a dit qu'on est pas obligé
de baver. En tout cas, il m'a
accompagné (et poussé...) jusqu'à l'immeuble de Nadia, il
m'a presque obligé à monter les
escaliers et quand je suis arrivé
devant la porte, il me restait
presque plus de courage pour
sonner...

... mais j'ai quand même appuyé sur le bouton (sinon Manu m'a dit qu'il le ferait à ma place) et quand j'ai entendu les pas de Nadia s'approcher pour m'ouvrir, je me suis senti un super invincible, comme un héros, avec des ailes qui me poussaient dans le dos pour emmener Nadia dans le ciel. Et la porte s'est ouverte...

Qui était ce type, ça, j'avais même pas l'idée de le demander tellement j'étais tourneboulationné de la tête. J'ai bafouillé « Nadia », il a dit qu'elle était sortie (et j'ai remarqué qu'il avait mué, c'était un grand). J'ai dit que c'était pour emmener Nadia au cinéma. J'ai bafouillé comme pas possible mais il a compris.

Pas la peine de vous faire un dessin pour vous dire ce que j'ai ressenti... Si, d'ailleurs, c'est mieux avec un dessin...

4

Découvrir que Nadia avait un amoureux et, en plus, un amoureux qui vit chez elle, ça m'a juste pulvérisé du dedans. Mais comme je réfléchis vite, j'ai monté la big stratégie pour me débarrasser du type dès le lendemain au cinéma. Manu était pô trop content de son déguisement de fille, mais moi je me disais que même moche, une fille c'est une fille... donc ça peut faire des giga dégâts...

On a espionné au coin de l'immeuble pour voir si Nadia et son amoureux étaient bien dans la file d'attente.

Ensuite on a encore expliqué à Manu ce qu'il devait faire. Manu arrêtait pas de râler, c'était pénible mais ça allait plutôt bien avec un rôle de fille... On a essayé d'arranger un peu la perruque parce que ça se voyait trop que je l'avais piquée dans un déguisement.

Sans les lunettes, on y croyait vachement mieux. Par contre, fallait pas regarder les chaussures parce que là, c'était du Manu en concentré de doigts de pieds... On a poussé Manu vers la file du ciné pour qu'il aille faire la fiancée de l'amoureux de Nadia. Et Manu a foncé... sans ses lunettes...

Avec François, on essayait de lui faire des signes pour lui dire de changer de cible, mais dans la vision de Manu, on devait même pas exister... Alors il a continué son cinéma devant la grosse brute. Encore un coup dans l'eau... enfin... pas que dans l'eau...

5

Non mais vous m'avez regardé ? Vous croyez qu'un type de ma catégorie abandonne comme une boule molle ? Trop pas ! L'idée de la lettre, c'est Hugo qui l'a eue. Le truc, c'était d'écrire une lettre anonyme. Je voyais pas à quoi ça servait : ce

Nonim, je le connaissais même pô ! Mais Hugo a dit que « anonyme », ça veut dire que je signe pas. Donc Nadia pourrait pas savoir qui lui envoyait une lettre pleine d'insultes et de trucs dégueulasses pour pourrir son amoureux. L'idée du siècle, j'achète ! J'ai écrit la lettre et...

Je voyais déjà la bonne grande baffe qu'il allait se prendre l'amoureux de Nadia, et j'aimais bien l'idée. Après Nadia allait venir me voir pour me faire sa déclaration qu'avec l'autre, c'était fini. Voilà à quoi je pensais quand j'allais mettre la lettre dans la boîte de Nadia...

Franchement, y'avait une chance sur un milliard que la mère de Nadia passe dans le hall de l'immeuble pile à la minuscule seconde où je déposais la lettre. Si la mère de Nadia me balançait, c'était foutu. Alors quand elle a proposé de donner l'invitation à Nadia, j'ai dit :

Et je suis sorti de l'immeuble en laissant tout mon plan partir en miettes. Voilà. C'était fini, c'est pô Nadia qui lirait ma lettre de Nonim...

6

L'après-midi, avec les copains, on est allés jouer sur le terrain de basket. Moi j'avais bien besoin de me changer les idées. Mais non, Nadia s'est amenée avec son amoureux à la crotte, elle a dit « voilà Jérôme » (le prénom trop pourri !) et elle a dit qu'il allait jouer au basket avec nous. Plutôt dans l'équipe qui jouait contre moi, en plus. Bon ben voilà, au moins, c'était clair : Nadia voulait ma mort.

Parce que en plus, le truc horrible de chez film d'horreur, c'est que ce pue-du-slip était un dieu de la balle.

Déjà que cette saleté m'avait piqué Nadia, si en plus il me mettait la pâtée au basket, ce serait comme l'enfer en enfer. Alors j'ai réuni les copains de mon équipe et j'ai dit qu'on allait courir tous ensemble jusqu'au panier et que là, ils me soulèvent pour que je marque. C'est ce qu'on a fait...

Le ballon est passé dans le panier et j'aurais pu être super fier d'avoir marqué même en trichant, mais j'avais pas pensé à quelque chose : c'est qu'après s'être entassés pour me soulever, y'avait forcément la suite. Et la suite c'est quand le tas de copains retombe sur le sol... en s'accrochant à mon pantalon...

Encore maintenant, rien que de repenser à ça, j'ai envie de me cacher dans mes mains et de crier pour faire disparaître l'image. Conclusion, encore une belle foirade à la sauce de zizi.

7

Le mercredi suivant, pas question de faire du basket. J'étais encore tout trop matisé.

J'ai retrouvé les copains à la piscine. Là, au moins, j'étais le maître. Mon terrain d'attaque : le grand toboggan de la mort. Manu l'avait pris en suivant

bien sagement les consignes.
Quel trouillard ! Moi, je suis un
peu le champion de karaté des
toboggans. Et je suis un aventu-
rier. Quand on dit « allez douce-
ment », moi je deviens une fusée
interplanétaire turbo-spatiale.
Alors si je vois un panneau « restez assis », moi, c'est un réflexe
d'homme, je me jette à plat
ventre la tête la première.

J'ai fait toute la descente en gardant la même position, mais de plus en plus vite. Du coup c'était de moins en moins confortable, mais j'avais pô le temps de penser à une autre stratégie, j'étais trop occupé à dire « AAAAAAAA ». Comme tous les toboggans ont une fin, j'ai fini par arriver au bout...

Laissez-moi partager mon expérience avec les jeunes qui débutent : quand on prend un toboggan de la mort, avec un gros panneau devant qui dit « restez assis », si vous êtes un minus, mon conseil : restez assis. Pour les autres, les qui ont pas froid aux yeux (comme moi), et qui foncent la tête en premier, mon conseil : fermez la bouche.

Quand je suis sorti du bassin grâce à Manu, j'avais tellement avalé d'eau que je pouvais presque plus avancer. Heureusement, Nadia était partie et me verrait pas dans cet état.

8

Le lendemain à l'école, j'étais pas très en forme, à cause de mon ventre qui me faisait encore mal et de Nadia qui me faisait encore de la trahison avec son amoureux. Manu a voulu me consoler en me racontant l'histoire de son cousin et ses deux amoureuses. C'était sympa de vouloir être gentil, mais entre deux Nadia ou pas du tout, je suis pas sûr que je choisirais ma situation. J'allais le dire à Manu quand tout à coup, comme une ampoule qui s'allume dans la tête, j'ai eu une nouvelle idée diabolique pour éliminer l'amoureux de Nadia.

Restait plus qu'à attendre dans la rue pour attraper l'appât. C'était difficile parce que Manu, même avec ses lunettes, il en sélectionnait des pô assez mûres...

... et puis il essayait de se rattraper mais un peu trop...

En faisant ça, on a vu avec Manu qu'il y avait un paquet de filles sur cette planète et qu'elles étaient toutes super différentes. Mais aucune aussi belle que Nadia. En fait ce qu'il nous fallait, c'était Nadia mais en plus grande. Et c'est là que j'ai repéré la fille qui attendait devant le parc.

A la limite, la fille, même si elle était pas trop contente de ma question, elle s'est pas trop trop énervée. Par contre elle est quand même allée chercher son copain...

9

Tout le monde m'avait laissé tomber, et si je trouvais pas d'appât pour attirer l'amoureux de Nadia, ben... il pourrait pas être appâté...

Il me restait quand même une piste : ma cousine Julie. J'ai foncé chez elle pour lui raconter mon histoire et mon plan. Elle faisait un peu la grande qui s'intéresse pas aux histoires des plus petits. Le truc le plus bizarre, c'est qu'on a presque le même âge, Julie et moi, et pourtant, elle a l'air plus vieille et surtout plus grande dans sa tête. En tout cas, elle réfléchit plus avant de répondre...

C'était pas ce qu'il fallait dire. Je me suis un peu rattrapé genre que si ça se trouve elle le trouverait mignon, mais Julie a voulu négocier pour que je la paie. C'est pas joli joli de faire ça, surtout de me demander le triple CD « best of » de Greg Lover qui allait me coûter toutes mes économies. Mais est-ce que j'avais le choix ? Alors j'ai dit OK et on est partis faire notre coup.

Bon ben c'était déjà ça, elle a trouvé que l'amoureux de Nadia était mignon. Même si ça paraît fou, vu la tronche de macaque du type, pour mon plan, ça m'arrangeait bien.

Julie a demandé ce que je voulais exactement. J'ai dit « juste piquer l'amoureux de Nadia ».

L'embrasser sur la bouche, peut-être même avec la langue, c'était carrément culotté ! Elle a pas froid aux yeux, ma cousine ! On dirait presque un garçon ! Enfin... pas pour tout...

10

Julie, elle est vraiment trop incroyable. Elle est allée tout tranquillement vers Jérôme-le-gros-caca et elle lui a parlé comme si ils se connaissaient depuis toujours. C'est vache-ment courageux de faire ça. Au début, c'était Julie qui parlait et Jérôme, lui, il écoutait sans rien dire (j'étais pas très sûr qu'il comprenne ce qu'elle lui disait...). Hugo était venu se mettre à côté de moi pour tout surveiller et il a vu comme moi que Julie faisait le clown et que ça commençait à marcher un peu. En tout cas, l'autre abruti a souri : on voyait ses dents pourries.

Et puis, là, c'est lui qui s'est mis à parler et Julie qui l'écoutait (pour faire semblant de s'intéresser, c'est évident) et même, il a voulu faire le clown (mais c'était ridicule) et elle a hyper bien fait semblant de rire. Julie, c'est la reine des missions de piquage d'amoureux. Et nous, on regardait mais on entendait rien.

Et puis Jérôme a montré un endroit à Julie comme si il voulait qu'elle l'accompagne. Julie a fait un petit bout de chemin avec lui, et avec Hugo, on était vraiment épatés qu'elle réussisse si vite sa mission. Mais quand même, on se demandait ce qu'elle pouvait bien lui trouver. Tout à coup, Julie s'est arrêtée.

Elle était tout excitée. Elle a dit que c'était réussi, qu'elle partait avec lui parce qu'il l'avait invitée au skate-parc. J'avais trop de l'admiration. Je lui ai demandé comment elle avait réussi un coup pareil.

11

Avec Manu, on a espionné Julie pour voir comment ça se passait au skate-parc. Ce gros naze de Jérôme s'était complètement fait avoir. Quel pauvre slip ! Fallait le voir faire tout son cinéma du type patient qui apprend à Julie à faire du skate.

Et Julie, trop forte, qui faisait semblant de bien rigoler ! A la fin de la journée, il l'a même raccompagnée devant chez elle, c'est pour dire comment elle en avait fait son esclave ! Le lendemain, avec Manu, on a continué à les suivre et Julie assurait vraiment beaucoup. Très beaucoup, même...

On a suivi encore Julie et son boulet et ça s'embrassait pas mal et même sur la bouche. Manu a dit que quand même il trouvait ça bizarre que Julie se force à embrasser l'autre gros naze alors que Nadia était même pas là pour voir. J'ai dit que c'était pour se mettre dans la peau du personnage.

Manu, il y connaît rien en ciné-ma. Et il connaît pas Julie, il sait pas de quoi elle est capable. J'ai dit à Manu que Julie était payée un triple CD de Greg Lover, que ça valait le prix de cinq jeux Game Boy. Manu a dit que même que pour quatre jeux, il embrasserait aussi Julie. Mais j'ai quand même continué à surveiller Julie et le crétin.

68

Je trouvais que Julie avait pô trop l'air de se forcer pour le prix. Alors quand Jérôme est parti, je suis allé négocier avec elle. J'ai dit que c'était beaucoup, un triple CD pour un truc qui avait l'air plus facile que j'imaginais...

12

C'est vrai que, question résultat, y'avait rien à dire, c'était tout gagné. D'ailleurs, Nadia voyait bien la différence. Elle avait l'air de super mauvais poil et moi j'en profitais pour faire celui qui apporte sa joie.

Je sais pas depuis combien de

temps elle attendait comme ça, mais c'était pas vraiment le détail qui m'intéressait. Ce qui m'avait attrapé l'oreille, c'était surtout le mot « cousin », de quel cousin elle parlait ? Je lui demande. Et là, la réponse tombe comme une crise cardiaque : « ben, mon cousin Jérôme ! »...

Nadia a commencé à me raconter que son cousin est venu chez
elle pour les vacances mais
qu'ils font plus rien ensemble
depuis qu'il est avec cette fille.
Moi j'écoutais pô vraiment parce que dans ma tête, y'avait que
« c'était pas son amoureux,
c'était pas son amoureux ! ».

J'ai d'abord foncé prévenir Julie. C'est vrai, la pauvre, elle continuait à embrasser le cousin de Nadia pour rien, je pouvais pô la laisser se sacrifier comme ça ! Quand je l'ai trouvée, elle faisait semblant de se promener avec lui. Je lui ai dit qu'elle avait plus besoin de jouer la comédie, que c'était fini.

Je m'attendais pas du tout à une réaction comme ça, woh l'autre, hé ! Et puis tout à coup j'ai eu un doute : si ça se trouve, elle faisait même pô semblant ! Et si elle faisait pas semblant, c'était même plus une mission !

13

Comme tout était arrangé du côté de Julie, je suis retourné voir Nadia pour lui raconter mon aventure. Bon, elle était encore de mauvaise humeur, mais quand je lui aurais tout dit, qu'est-ce qu'elle allait se marrer ! J'ai commencé par lui dire comment j'étais venu chez elle pour l'inviter au cinéma et que c'est Jérôme qui avait ouvert la porte et que moi, je savais pas qui c'était ce type, alors j'ai pensé que c'était son amoureux. Que je pensais qu'ils allaient se marier ou un truc pire genre s'embrasser sur la bouche. J'ai dit : « Attends, le plus drôle, c'est la suite »...

Trop bizarre : Nadia a pô trouvé ça drôle. Pas du tout même. Je l'ai senti à la tête qu'elle a fait quand elle a dit « Quoi ?! » mais aussi parce qu'elle l'a crié tellement fort genre animal préhystérique que j'ai cru que j'allais y laisser mes oreilles. Bref, j'ai senti qu'elle était fâchée, quoi. Je l'ai bien senti, même…

Comme mes oreilles étaient déjà éclatées, ça changeait pas grand-chose. Par contre, il fallait que je réagisse assez vite pour pas perdre l'occasion vu que c'était le bon moment et je lui ai demandé, comme il y avait plus Jérôme, si elle voulait m'accompagner à la fête. Elle a répondu sans hésiter.

Après, Nadia est partie en pleurant « bouhouhou, Jérôôôô-me !!! » comme si elle était amoureuse de lui. Pfff... c'est vraiment n'importe quoi, les filles. Mais bon, peut-être que, finalement, j'avais pô choisi le bon moment pour inviter Nadia à la fête...

14

Même Manu avait trouvé quelqu'un pour danser à la fête alors que pour moi, tout était une catastrophe planétaire. Nadia avait décidé de même pas venir à la fête à cause de son chagrin d'amour avec Jérôme (un coup c'est son cousin, un coup c'est son amoureux, c'est pô clair tout ça). Et maintenant Manu qui me laissait tomber. Manu m'a dit que, de toutes façons, il allait pas danser avec moi et que j'étais lourd à la fin, que j'avais qu'à me trouver quelqu'un, même si, à son avis, j'en étais carrément pô cap'...

Moi, il faut pas me lancer un défi. Parce que je suis pas le genre mauviette. J'allais monter les marches, ouvrir cette fichue porte d'école et inviter la première fille qui se trouverait derrière. C'était dit. Et je l'ai fait. Sauf que derrière la porte, c'était pô un défi, c'était une condamnation à mort.

Manu était derrière moi à se marrer comme une pintade à collerette, du coup, comme il avait tout vu, je pouvais pô zapper la première fille comme si de rien n'était pour prendre la suivante. Alors j'ai invité la fille et malheureusement elle a dit oui… Et ça faisait bien marrer Manu…

J'ai un peu essayé de casser le défi en trouvant des combines mais Manu s'est pô laissé avoir. Alors j'ai assumé. Parce que Séductor n'a qu'une parole et il la tient... même si c'est très très très dur...

Table

1. La leçon de séduction 5

2. Sortir Nadia 11

3. L'horrible découverte 17

4. Manu la fille 23

5. La lettre de Nonim 29

6. Zizi basket 35

7. Le roi du toboggan 41

8. L'appât 47

9. Julie la coriace 53

10. La mission de Julie 59

11. Au skate-parc 65

12. La grande nouvelle 71

13. Les filles ont pô d'humour 77

14. La fête 83

PAR ZEP
Édition colorisée

PAR ZEP
12 tomes parus

PAR ZEP
Hors-série Titeuf

PAR OHM
4 tomes parus

PAR POIPOI
3 tomes parus

PAR BILL & GOBI
7 tomes parus

PAR MATHILDE DOMECQ
3 tomes parus

PAR YOMGUI DUMONT
4 tomes parus

PAR NOB
6 tomes parus

tchô!
La collec...

PAR BUCHE
10 tomes parus

PAR JULIEN NEEL
5 tomes parus

PAR ZEP & TÉBO
4 tomes parus

PAR NOB
2 tomes parus

PAR TEHEM
5 tomes parus

PAR NOB
3 tomes parus

PAR BOULET
6 tomes parus

PAR KAZÉDOLÉMITE
1 tome paru

PAR ZEP, STAN & VINCE
3 tomes parus

PAR TÉBO
7 tomes parus

PAR DAB'S
10 tomes parus

PAR TEHEM
1 tome paru

PAR ZEP & TÉBO
1 tome paru

Un super merci à :

Zep
Jicé Camano
Catherine Saunier-Talec
La petite Hélène

Imprimé en Espagne par Cayfosa
Dépôt légal : mars 2011
20.20.2405.7/01– ISBN 978-2-01-202405-2
Loi n°49-956 du 16 juillet 1949
sur les publications destinées à la jeunesse